ISBN SÉRIE 2-84580-014-2 / ISBN VOL. 2-84580-018-5
ISBN ÉD.ORIGINALE 4-08-872629-4

AYASHI NO CERES 11
Un conte de fées céleste

Yuu Watase

AYA MIKAGÉ

ELLE S'EST DÉCIDÉE À SE BATTRE CONTRE SON DESTIN, À RETROUVER LA ROBE DE PLUMES ET À RENVOYER CÉRÈS CHEZ ELLE.

RÉSUMÉ :

AYA MIKAGÉ, JEUNE LYCÉENNE APPAREMMENT NORMALE, EST LA DESCEN-DANTE D'UNE NYMPHE CÉLESTE. UN JOUR, SA PROPRE FAMILLE, LES MIKAGÉ, APPRENANT QUE AYA PORTE EN ELLE LES GÈNES DE LA NYMPHE, MONTE UN PLAN POUR L'ASSASSINER. ACCULÉE FACE À LA MORT, AYA EN PERD SA PERSON-NALITÉ ET SE CHANGE EN CETTE FAMEUSE NYMPHE, CÉRÈS. CELLE-CI DÉCLARE À AKI, LE FRÈRE JUMEAU DE AYA, QU'IL EST CELUI QUI LUI A VOLÉ SA ROBE DE PLUMES !

KAGAMI MIKAGÉ QUANT À LUI, MET EN PLACE LE "PROJET C". SON PLAN CONSIS-TE À METTRE EN ÉVIDENCE LES GENS PORTEURS DU "GÉNOME C", CELUI DES NYMPHES ET À LES RASSEMBLER POUR S'EN SERVIR. MAIS TOYA, L'HOMME DE MAIN DES MIKAGÉ, FINIT PAR S'ÉLOIGNER DE KAGAMI ET SA FAMILLE POUR REVE-NIR AUPRÈS DE AYA.

PEU APRÈS, L'ANCÊTRE DES MIKAGÉ RENAÎT DANS LE CORPS DE AKI ET LE "PROJET C" EST REMIS EN ROUTE !!

TOUJOURS À LA RECHERCHE DE LA ROBE DE PLUMES, AYA SE REND À TANGO MAIS HÉLAS LA SEULE DÉCOUVERTE QU'ELLE Y FAIT EST UN MONSTRE BELLIQUEUX, EN FAIT UN HUMAIN MÉTAMORPHOSÉ EN HIDEUSE CRÉATURE POUR AVOIR OSÉ TOU-CHER LA ROBE DE PLUMES IL Y A DES CENTAINES D'ANNÉES DE CELA…

AKI MIKAGÉ

LE FRÈRE JUMEAU DE AYA. IL EST LA RÉINCARNATION DE L'HOMME QUI FORÇA JADIS CÉRÈS À DEVENIR SON ÉPOUSE !!

YUHI AOGIRI

SUZUMI LUI A ORDONNÉ DE VEILLER SUR AYA, IL LUI A DÉCLARÉ SON AMOUR MAIS …!?

TOYA

IL A PERDU LA MÉMOIRE. IL S'EST LIBÉRÉ DE L'EMPRISE DE KAGAMI ET RESSENT DE L'AMOUR POUR AYA...

GRÂCE À SES POUVOIRS, CÉRÈ PARVIENT À ANÉANTIR LE MONSTR MAIS LE FONDATEUR DE LA FAMILL MIKAGÉ EN PROFITE POUR CAPTURE AYA ! EN DÉPIT DE LA DISTANCE QU SÉPARE TOYA DE SA BIEN-AIMÉ CELUI-CI RESSENT LE DANGER QUI L MENACE ET ACCOURT À SON SECOUR AYA EST EN EFFET SUR LE POINT D SUBIR UNE GREFFE DE MÉMOIRE !! HEUREUSEMENT, LE TRAVAIL D PENSÉE QU'ELLE FOURNIT AVEC L'AID DE CÉRÈS FINIT PAR DÉTRUIRE TOU LE DISPOSITIF. AINSI, TOYA PEU RECOUVRER LA MÉMOIRE ET AU GRAN DAM DE KAGAMI, SAUVER AYA DE JU TESSE ! MAIS IL LEUR RESTE ENCORE QUITTER L'IMMEUBLE DES MIKAGÉ !!

LES BLA-BLAS DE YUU WATASE

Bonjour tout le monde, c'est Watase !! Je vous écris actuellement d'un avion ! Mais je ne vous dirai pas quelle est ma destination hé hé !! (ce n'est pas bien loin à vrai dire...)

Bon, vous êtes nombreux à me demander des renseignements concernant le merchandising de "Fushigi"... alors, écoutez-moi bien : tout d'abord, vous serez heureux d'apprendre que l'art book n°1 vient de bénéficier d'un retirage important, vous allez donc pouvoir le trouver plus facilement dorénavant (par contre, il vous sera plus difficile de vous procurer le n°2 qui contient des scènes du dessin animé, l'interview de deux comédiens de doublage, une documentation assez importante ainsi que des illustrations inédites).

Si vous souhaitez plus d'infos sur les vidéo ou les CD du dessin animé, adressez vos demandes de renseignements à :

- pour les vidéo : Bandai Visual, 03-5828-3001.

- pour les CD : Bandai Music Entertainment, 03-5379-3517.

- autres : Pierrot Project, 0422-70-3453.

Si vous voulez vous procurer les BD originales ou les CD books (les volumes 4, 5 et 6 sont encore disponibles), commandez-les auprès de votre libraire ou bien directement à la maison d'édition Shogakukan au 03-3230-5749 (service des ventes).

Ne m'envoyez pas votre commande, je ne pourrai pas y donner suite. En fait, je n'ai qu'un seul exemplaire de chaque... et je les garde !! (rires) Adressez-vous donc directement au service des ventes. Bon, maintenant que vous connaissez la marche à suivre, vous n'avez plus aucune excuse pour m'envoyer de l'argent avec vos lettres ! Sachez tout de même que je suis ravie de voir que vous portez tant d'intérêt à "Fushigi".

7

"SI JAMAIS ELLE NE SE RÉVEILLAIT PAS"

"PASSÉ QUATRE HEURES DU MATIN..."

"MAIS SI LE PIRE DEVAIT ARRIVER... JE VOUS PRIE DE ME PARDONNER MONSIEUR TOYA"

... QU'EST-CE QU'IL A BIEN PU... VOULOIR DIRE...?

"...MAIS JE VOUS AVOUE QUE JE COMMENCE MOI-MÊME À PERDRE LA FOI EN CETTE LUTTE..."

TCHAC

IL EST QUATRE HEURES MOINS CINQ...!?

EN TOUT CAS, GRÂCE À LUI, J'AI PU ME REPOSER PENDANT 24 HEURES...

24 HEURES...!?

10

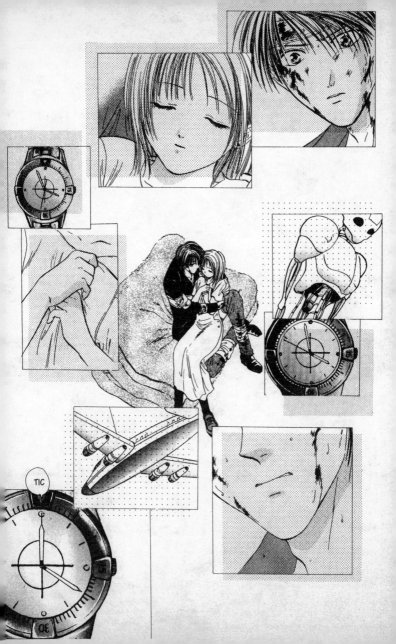

TIC

SOMBRERAIT
DANS UN
CAUCHEMAR
ÉTERNEL
..."

"ET NE
REVIEN-
DRAIT
PLUS"

"SI JAMAIS ELLE
NE SE
RÉVEILLAIT PAS
PASSÉ QUATRE
HEURES DU
MATIN..."

"ELLE

13

"A...
YA ?"

"...QUI EST-CE ?"

"QUI ?"

"QUI ?"

"QUI...
ES-TU ?"

"JE NE VOUS CONNAIS PAS"

QU'EST-CE QUE TU RACONTES ? C'EST MOI AYA...

... TOYA

CLANG

"ALLEZ VIENS TOYA, JE SUIS VENUE TE CHERCHER"

"JE NE VOUS CONNAIS PAS"

C'EST LA PREMIÈRE FOIS QUE JE TE VOIS PLEURER TOYA ...

... ALORS NOUS SOMMES QUITTES, DÉSORMAIS !

... TU T'ES INQUIÉTÉ POUR MOI TOYA ?

... ÉVIDEMMENT ...!

NE T'EN FAIS PLUS POUR MOI... JE T'ATTENDRAI... MES SENTIMENTS POUR TOI NE SONT PAS PRÊTS DE CHANGER !

N'ÉTAIS-TU PAS PARTI À LA RECHERCHE DE TES VRAIS SOUVENIRS ?... CELA REPRÉSENTAIT BEAUCOUP POUR TOI...

... C'EST BON MAINTENANT... TU PEUX Y ALLER !

HORS SÉRIE

ON S'EN SERAIT BIEN PASSÉ !!

EXCEPTIONNELLEMENT, DANS CE VOLUME, JE ME SUIS PERMISE DE PUBLIER LES GRAFFITIS DE MON ASSISTANTE H, SURTOUT, NE LE PRENEZ PAS MAL...

VERSION POKÉMON ← ...

TOYA →

KARANE EN HIAOUSS

AYA →

RASSUREZ-VOUS, ELLE A UTILISÉ UNE PHO-TOCOPIE ...

AREUH AREUH

IL EST MORT DE RIRE !

QUOI ?

DÉSOLÉ

ELLE TIENT ABSOLUMENT À S'AMUSER AVEC TOYA ...

C'EST L'HEURE DE "LA CAMÉRA INDISCRÈTE", AUJOURD'HUI NOUS NOUS SOMMES INSTALLÉS DANS DES BAINS PUBLICS CÔTÉ DAMES BIEN SÛR !

TOYA VIVANT AUX CROCHETS DES AOGIRI

SUPER !!

ELLE FAIT ALLUSION AU VOLUME 6 APPAREMMENT

C'EST L'HEURE DE MON ÉMIS-SION PRÉ-FÉRÉE !!

HYAAAAAAA

LA CAMÉRA INDISCRÈTE... SON ÉMISSION PRÉFÉRÉE... JE VOIS... PAUVRE TOYA...

JE PENSE QU'ELLE POSSÈDE UN CERTAIN TALENT POUR LA PARODIE, NON ?!

CELA LE POUSSE À SE LEVER LÉGÈREMENT

BONJOUR

VOTRE HUMEUR EST-ELLE PLUS CLÉMENTE, FONDATEUR ?

... ALEX... LE DOC-TEUR HOWELL EST UN GÉNIE (MÊME S'IL N'EN A PAS L'AIR) ...

MAIS JE N'Y POUVAIS RIEN...

... COMMENT POURRAIS-JE ÊTRE DE BONNE HUMEUR EN TA COMPAGNIE ?

35

LES BLA-BLAS DE YUU WATASE

Il ne reste plus aucun autre goods… je pense que cela va démoraliser pas mal de personnes, cependant, comme pour les art books, si les demandes sont importantes il se pourrait que la société… accepte d'en refabriquer, non ? Pensez-vous que… ce soit possible ? Naturellement, il leur faudrait un nombre trèèèèès important de commandes (rires) mais vous êtes les seuls à pouvoir obtenir ce que vous désirez en y mettant de la persévérance ! (comprenez qu'il y a le problème de la marque déposée et que tout cela coûte cher). En tout cas, votre vœu aura plus de chance de se réaliser si vous vous adressez directement auprès des sociétés et non à moi ! Si vous vous adressez directement à l'auteur (rires)… celui-ci ne pourra que vous conseiller de le faire monter dans le classement des meilleures ventes publiées chaque semaine dans les magazines en achetant ses œuvres… (c'est-à-dire précisément ce que je suis en train d'écrire quoi !!). En fin de compte, c'est aux lecteurs (aux clients) de se bouger pour obtenir quelque chose ! Bon courage donc ! Passons à autre chose. Le volume 10 a été paraît-il un peu dur à avaler. J'ai reçu des tas de lettres de mécontentement concernant les actes du Fondateur ! Beaucoup m'ont fait réfléchir, à vrai dire. Les dessins un peu extrêmes que vous avez rencontrés dans ce volume étaient parfaitement volontaires et je demande pardon à mon public masculin (rires) maintenant, ils ne pourront plus nier… ! "Vous n'auriez pas dû pousser le bouchon si loin !" m'a-t-on dit, certes, vous avez raison mais ce qui s'est passé était la suite logique des événements… d'ailleurs, les plus jeunes d'entre vous ont eu beaucoup plus de facilité à s'infiltrer dans l'histoire, ils se sont simplement dit : "c'est impardonnable !" ou bien "Aya ne mérite pas un tel sort", ils ont réagi beaucoup plus sainement je trouve. Parfois les adultes veulent absolument trouver quelque chose choquant pour les enfants en se disant qu'ils ne savent pas faire la part des choses entre fiction et réalité. Et je me demande s'ils n'ont pas tort de réagir ainsi. D'autres mamans m'ont raconté qu'elles lisaient "Ayashi" avec leurs enfants… Bon, je n'en demande pas tant… mais si ensuite cela peut déboucher sur une bonne conversation (mais si…)… pourquoi pas ? Bref, en tout cas, y a plus d'place. À suivre…

VOUS NE CESSEZ DE COURIR APRÈS CETTE FILLE... VOUS CRAIGNEZ TELLEMENT QU'ON VOUS LA PRENNE ?

DANS CE CAS, JE PENSE PLUTÔT QUE C'EST VOUS QUI ÊTES FOU D'ELLE...

VOUS M'AVIEZ PROPOSÉ DE ME DIRE OÙ SE TROUVE LA ROBE DE PLUMES EN ÉCHANGE DE LA FILLE ET VOUS VOUS ÊTES COMPORTÉ TEL UN ENFANT GÂTÉ QUI TAPE DES PIEDS POUR QUE JE VOUS LAISSE LA REJOINDRE !

JE VOUS AI LAISSÉ ALLER À TANGO FINALEMENT... VOUS AVEZ OBTENU CE QUE VOUS VOULIEZ, N'EST-CE PAS ?... ET POURTANT, EN FIN DE COMPTE, VOUS ÊTES RESTÉ BOUCHE COUSUE AU SUJET DE LA ROBE DE PLUMES...

FLASH

AAAAARGH

... POSSÉDÉ ... ? ... IL SERAIT PLUS JUSTE DE DIRE QUE VOUS LE LUI AVIEZ VOLÉ ... !

"CECI" EST UNE PARTIE DU POUVOIR DE CÉRÈS QU'ELLE M'A OCTROYÉ IL Y A LONGTEMPS !!

AAAAH

LES FEMMES SONT VOUÉES À DEVENIR DES VICTIMES, DE TOUTE FAÇON !

"CECI" EST LA PREUVE INDUBITABLE QU'ELLE M'APPARTIENT... QUE J'AI JADIS POSSÉDÉ SON CŒUR !

... TOYA AURAIT PU DÉGUSTER CETTE DOULEUR SI TU ME L'AVAIS LAISSÉ !

SI TU AS COMPRIS, LAISSE-MOI TRANQUILLE À PRÉSENT !!

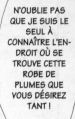

N'OUBLIE PAS QUE JE SUIS LE SEUL À CONNAÎTRE L'ENDROIT OÙ SE TROUVE CETTE ROBE DE PLUMES QUE VOUS DÉSIREZ TANT !

...
ENTENDU... ÉTANT DONNÉ QUE NOUS TRAVAILLONS DANS LE MÊME INTÉRÊT, MIEUX VAUT SE METTRE D'ACCORD...

NE T'INQUIÈTE PAS... JE NE SUIS PAS SI BÊTE, JE CONSENS À POURSUIVRE LA CHASSE AUX NYMPHES AVEC TOI POUR MENER À BIEN LE PROJET C

PFF

SEULEMENT... JE VOUS DEMANDERAIS D'ÊTRE PLUS PATIENT...

MAIS À UNE SEULE CONDITION, QUE TU NE T'OCCUPES PLUS DE CÉRÈS !!

"VIENS
AVEC
MOI"

RETROUVER CET
ENDROIT SI CHA-
LEUREUX ET
TENDRE... QUEL
BONHEUR
!...

CEPENDANT
...

"OH OUI
TOYA... JE
VIENS AVEC
TOI !"

... T'AS PAS DU TOUT L'IMPRESSION DE M'ENFONCER LÀ !??!

JE PENSE QUE AYA EST PARFAITEMENT CONSCIENTE DE TOUS LES EFFORTS QUE TU AS FAITS POUR ELLE ! MAIS ELLE ESSAIE DE NE PAS TE LE MONTRER PARCE QU'ILS RESTERONT VAINS À JAMAIS !

... CONTRAIREMENT À TOI !

GRAB

GROM GROM

QUOI ?!

TU VEUX QUITTER... LA MAISON ... !?

... JE COMPTAIS RESTER ICI JUSQU'À CE QUE YUHI SOIT RÉTABLI...

IL S'EST TOUJOURS DONNÉ À FOND... POUR MOI... JE NE POURRAIS PAS LE LAISSER ALORS QUE C'EST LUI QUE... J'AI EMBÊTÉ LE PLUS...

SNIF

TOYA EST D'ACCORD AVEC MOI ...

C'EST BON, LE PANSEMENT EST BIEN MIS !!

IL RESSEMBLAIT À TOYA !?

AAA AH BON ?!

JE N'Y PEUX RIEN VOIS-TU... J'AI L'IMPRESSION D'ÊTRE EN COMPAGNIE DE FEU MON MARI !

HMM

MADAME KYOU, VOUS COMPTEZ LUI TENIR LA MAIN ENCORE LONGTEMPS ?!!

JUSQU'À PRÉSENT... CETTE DÉCISION QUE J'AI PRISE DE LA LAISSER... C'ÉTAIT POUR SON BIEN...

... J'EMMÈNE AYA AVEC MOI

J'AI TOUJOURS PENSÉ QU'ELLE SERAIT MALHEUREUSE AVEC MOI, TANT PIS SI JE RESTAIS SEUL... MAIS JE ME SUIS FOURVOYÉ...

J'AVAIS PEUR... JE N'AI PAS PU TRAHIR MES SENTIMENTS, JE N'AVAIS PAS CONFIANCE EN MOI...

CEPENDANT, AU FIL DES JOURS... AYA A FINI PAR ENVAHIR COMPLÈTEMENT MON CŒUR...

58

59

DONNEZ-NOUS DE VOS NOUVELLES LORSQUE VOUS SEREZ INSTALLÉS ET JE T'ENVERRAI TES AFFAIRES !... MA MAISON EST AUSSI LA VÔTRE, REVENEZ QUAND BON VOUS SEMBLERA !!

TON ARRIVÉE CHEZ NOUS A ÉGAYÉ MA VIE ET C'EST COMME SI J'AVAIS EU... UNE PETITE SŒUR !

GRÂCE À LA CHALEUR QU'ILS ONT PARTAGÉE AVEC MOI ...

MAIS GRÂCE À EUX ...

ON M'A TANT DONNÉ ...

TANT DE GENS ONT PERDU LA VIE, TANT DE LARMES ONT COULÉ...

... BON... JE VOUS REMERCIE DE TOUT CE QUE VOUS AVEZ FAIT POUR MOI ...

TIENS DONC... MAIS OÙ EST MONSIEUR YUHI !?

ELLE N'AURA MÊME PAS LE TEMPS DE NOUS APPELER QU'ON SERA DÉJÀ AUPRÈS D'ELLE !!

ON VOLERA À TON SECOURS, SOIS-EN SÛRE !

JE PENSE QUE... VOUS DEVEZ SAVOIR À QUOI VOUS EN TENIR MAIS...

APPELEZ-MOI S'IL VOUS ARRIVAIT QUELQUE CHOSE !

JE VAIS ALLER LE CHERCH...

N'EN FAITES RIEN MADAME KYOU

MADAME SUZUMI ...

DITES-LUI SIMPLEMENT QUE... LE DÎNER D'HIER ÉTAIT... LE MEILLEUR DÎNER QU'IL M'AIT JAMAIS PRÉPARÉ ...

"C'EST À PROPOS DE TA MÈRE... JE SUIS SÛRE QUE TU LA REVERRAS UN JOUR..."

"TU ES UN GARÇON PUR, DÉBORDANT DE COURAGE... NE CHANGE SURTOUT PAS..."

...AYA A DIT QUE... TU LUI AVAIS OFFERT UN EXCELLENT DÎNER !

"MÊME SI TU NE LUI ACCORDES PAS TON PARDON... TU DOIS AU MOINS ESSAYER DE LA COMPRENDRE, DE LA CONSIDÉRER COMME UNE FEMME À PART ENTIÈRE..."

TU AURAIS MIEUX FAIT DE COMMENCER PAR LÀ, ÇA AURAIT ÉTÉ PLUS VITE !

MAIS TU SAIS, MOI AUSSI J'ADORE TA CUISINE ! J'TROUVE QUE TES OMELETTES, TES SOUPES, TES HAMBURGERS ET TES LÉGUMES SAUTÉS... ENFIN TOUT CE QUE TU CUISINES EST SUCCULENT !

HA HA

"RESTE TOUJOURS LE MÊME !"

65

MAIS RIEN NE ME FERA PLUS LÂCHER

DÉSORMAIS, C'EST À "MOI" DE PARTAGER LA CHALEUR QUE J'AI REÇUE AFIN DE "TE" SOUTENIR

OUI... À TOUT MOMENT UN DRAME PEUT SURVENIR ...

TA MAIN

ALLONS SALUER TA MÈRE, C'EST LA MOINDRE DES CHOSES ...

TOYA ...

LES BLA-BLAS DE YUU WATASE

Lors de mon entretien avec un professeur d'université qui écrit des critiques de bandes dessinées, j'ai écouté son discours sur "la violence et l'érotisme dans le monde de la BD" et voici ce que cela donne : "Nous avons tous en nous des comportements violents et des scènes rencontrées dans les BD sont susceptibles d'éveiller la violence de chacun". Je suis tout à fait d'accord et j'en parlais justement avec des amis : "Ce genre de film ou d'œuvre pousse les gens à la criminalité". "Des enfants grandissent à travers cet univers sans faire la différence entre le réel et le virtuel"... Ainsi, je comprends le rêve de chacun se disant "Moi aussi, je veux devenir comme lui/elle" mais soyez raisonnables quand même, vous ne devez pas tomber dans ce piège !! D'ailleurs, je ne récolte pas que des roses ! Le problème serait différent si j'introduisais des scènes violentes ou sexuelles simplement dans le but d'accroître mes ventes. Vous pensez bien qu'il ne s'agit pas pour moi que d'une forme de création comme une autre, c'est très compliqué à expliquer mais des paroles du professeur résument assez bien cette position : "Tout dépend de la "volonté" de l'auteur.". Mmmmm... quant à mes œuvres, je ne suis pas du genre à les écrire à moitié alors je ne dois jamais oublier cette notion de "volonté" En tout cas, c'est ce qui m'est venu à l'esprit. Un jour, dans une lettre, voilà ce que j'y ai trouvé : "On n'arrête pas de nous casser les oreilles en répétant que l'influence des BD est blablabla-blabla mais nous avons beau être des enfants nous ne sommes pas si idiots que ça.", "Héééé bééééé !" me suis-je dit. On dit que les enfants de nos jours n'ont aucun sens de l'analyse cependant je me permettrais d'émettre un doute à ce sujet car lorsqu'ils m'écrivent je constate qu'ils ont un certain sens de la psychologie en parlant des personnages. D'un autre côté, cela leur est utile dans les "relations" qu'ils pourraient avoir avec autrui. Ne soyons pas misanthropes !
Prenons les scènes charnelles par exemple, on pourrait très bien se dire : "pourquoi cela tient-il tellement l'auteur à cœur ?" (rires). Un jour... j'ai lu un article dans le journal disant...

...
DERNIÈRE-
MENT, J'AI
VOYAGÉ EN
ALLEMAGNE
...

...
20 SUR 20
EN MATHS
...

20 SUR 20
EN JAPO-
NAIS
...

GROM
GROM

AVEC LE GÉNIE
DE MES
HOMMES... IL
SERA PEUT-ÊTRE
POSSIBLE DE
FABRIQUER UNE
"ROBE DE
PLUMES"
...

NOUS AVONS
REÇU DES NOU-
VELLES DE GRÈCE
ET DE BORNÉO
ÉGALEMENT
...

...
PAS AUSSI
SPECTACULAIRE
QUE LE "BRAS
DE TANGO"
MAIS... L'ANA-
LYSE RISQUE DE
NOUS DONNER
DE BONS
RÉSULTATS
...

NOS ENQUÊ-
TEURS Y ONT
DÉCOUVERT
UNE SORTE DE
VESTIGE

71

MAIS ON LUI A ÔTÉ LA VIE D'UNE BALLE AUSSITÔT ...

HIHI

LORSQUE J'AI PRIS CONNAIS- SANCE DE CE RÉCIT J'ÉTAIS PERSUADÉ QU'IL N'EXISTAIT PLUS DE TELLES FEMMES... MAINTES FOIS, JE M'ÉTAIS IMAGINÉ DES CHOSES, À TON INSU ...

QUAND GRAND- PÈRE ÉTAIT ENCORE UN ENFANT, UNE JEUNE FILLE DE 16 ANS S'EST TRANSFORMÉE EN NYMPHE...

... JE M'EN SOU- VIENS COMME SI C'ÉTAIT HIER... J'AI TROUVÉ CETTE PHOTO DANS LA VIEILLE BIBLIOTHÈQUE DES MIKAGÉ LORSQUE J'ÉTAIS EN PRIMAIRE ...

"UNE FEMME NOBLE"

"UNE DÉESSE DE COLÈRE"

"UNE FEMME ENSORCELANTE"

"UNE FEMME ANXIEUSE"

UN MEMBRE DE LA FAMILLE A SÛRE- MENT PU PHOTO- GRAPHIER LE MOMENT DE LA TRANSFORMA- TION... DE CETTE NYMPHE DESTINÉE À DÉTRUIRE L'UN DES NÔTRES ...

"UNE MÈRE AFFECTUEUSE"

TU IGNORAIS, N'EST-CE PAS, COMBIEN JE PENSAIS À ELLE... ? COMBIEN ELLE EXCITAIT MES SENS... ?

ET PUIS, CETTE FEMME... EST APPARUE SOUS MES YEUX, RÉINCARNÉE EN "AYA MIKAGÉ" ...

AYANT CONSERVÉ TOUTES SES EXPRESSIONS DE TENDRESSE QUE SON VISAGE INSPIRE ...

... JAMAIS ELLES NE DEVIENDRONT UNE MÈRE TELLE QUE TU L'AS ÉTÉ... JE NE LES LAISSERAI PAS DEVENIR COMME TOI ...

LE PROJET C A ÉTÉ CRÉÉ EN SA FAVEUR AFIN DE RECONSTITUER DES FEMMES PARFAITES DANS UN MONDE NOUVEAU ...

BON, EH BIEN, À BIENTÔT... MAMAN

ELLES M'AIDE-RONT À DONNER NAISSANCE À DES "ÊTRES BRILLANTS"

!

......

...
QUI
...

ÊTES-VOUS
?

... BONNE QUESTION ...

QUI SUIS-JE ?...

DÉSOLÉ DE VOUS DÉRANGER PENDANT VOS HEURES DE REPOS CHEF MAIS...

TRÈS BIEN... J'ARRIVE TOUT DE SUITE !

AYA MIKAGÉ ET TOYA SONT PARTIS POUR NIIGATA... MAIS ILS SONT PASSÉS À L'HÔPITAL VOIR LA MÈRE DE LA FILLE AVANT...

... LA MÈRE DE AYA AUSSI EST TOUJOURS DANS LE MÊME ÉTAT...

PARDON ?

78

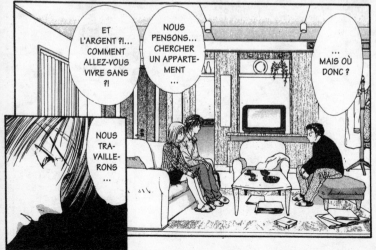

80

82

EHH?!

J'VOUS LA LAISSE LE TEMPS QUE TU TE REMETTES DE TES BLESSURES ET QUE VOUS TROUVIEZ DU BOULOT !

VOUS VOUS INSTALLEZ, C'EST BIEN, MAIS JE TIENS À MA TRANQUILLITÉ !

ÇA FAIT TROIS ANS QUE JE VIS SEUL ICI, JE NE VOUS DEMANDE AUCUNE PARTICIPATION POUR LE LOYER À CONDITION QUE VOUS VOUS OCCUPIEZ DES TÂCHES MÉNAGÈRES...

GROMMELLE, GROMMELLE

MONSIEUR KUROZUKA

...PAS DOUÉE ?

HER

D'ACC ! SI CE N'EST QUE ÇA, JE NE SUIS PAS TRÈS DOUÉE MAIS JE M'EN CHARGE !!

...EN FAIT... TU M'RAPPELLES LE FILS QUE J'AI EU AVEC MON EX-FEMME, DONT JE ME SUIS SÉPARÉ IL Y A TROIS ANS...

POURQUOI VOUS FAITES ÇA POUR NOUS... ?

OUAIS, ÇA DEVRAIT LE FAIRE !

J'AI TOUT DE MÊME BEAUCOUP APPRIS CHEZ LES AOGIRI !

BIEN QUE TU NE LUI RES-SEMBLES PAAAAAAS DU TOUT... !

AH BON ?

TSS...

TU RENFERMES EN TOI UN LOURD SECRET QUE TU NE CONNAIS PAS ENCO-RE À CAUSE DE TON AMNÉSIE... ENFIN, C'EST JUSTE UNE INTUITION ÇA...

DE PLUS, TU M'AS L'AIR "DANGEREU-SEMENT ÉPRIS" DE CETTE FILLE ...

C'EST UN AMOUR À HAUT RISQUE !

ET PUIS, JE M'INQUIÉ-TERAI TOUJOURS POUR TOI, PARTOUT OÙ TU IRAS ! NE T'AVAIS-JE PAS DIT QUE JE M'OC-CUPAIS DE MES PATIENTS JUSQU'AU BOUT ? REGARDE UN PEU LES BLESSURES QUE TU M'RAMÈNES !

84

OH OUI... NOUS AVONS FAIT UNE PROMESSE À MA MÈRE... QUE NOUS DEVONS TENIR ...

"MAMAN"

... OUI ...

... CE SERAIT VRAIMENT BIEN SI ON TROUVAIT LA ROBE DE PLUMES, ICI, À NIIGATA ...

"C'EST LUI... TOYA, LE GARÇON QUE JE VOULAIS TANT TE PRÉSENTER"

"PAR-DONNE-MOI... NOUS ALLONS DEVOIR NOUS SÉPARER PENDANT UN BOUT DE TEMPS MAIS..."

"IL REPRÉSENTE TOUT POUR MOI... ALORS, JE PARS AVEC LUI"

"J'ENTENDS LE
BRUIT DES
VAGUES"

TELLEMENT
AMOUREUSE
...

"IL ME RAPPELLE
QUELQUE
CHOSE"

QUE JE VOUDRAIS
QUE LE TEMPS
S'ARRÊTE...

JE SUIS
TELLEMENT...
AMOUREUSE...
IL N'Y A QUE
TOI QUI
COMPTES...

... QUE NOUS
RESTIONS... BLOTTIS
À JAMAIS L'UN
CONTRE L'AUTRE
...

"...LE BRUIT
DES VAGUES"

"QUELS SONT CES SOUVENIRS... ?"

T'EST-IL ARRIVÉ AUTREFOIS DE T'UNIR DE LA SORTE AVEC QUELQU'UN ?

"NON... J'AI L'IMPRESSION QUE CETTE UNION EST PLUS 'ENTIÈRE'"

AS-TU DÉJÀ SENTI UN TEL SENTIMENT D'HARMONIE T'ENVAHIR ?... SI PROFONDÉMENT... ?

"JE NE M'EN SOUVIENS PLUS..."

·········

"TU RENFERMES EN TOI UN LOURD SECRET QUE TU NE CONNAIS PAS ENCORE"

ZZZ

...
IL SE POUR-
RAIT QUE
J'ARRIVE À
ME SOUVE-
NIR
...

LA
PROCHAINE
FOIS...

PENDANT CES DER-
NIERS MOIS, NOUS
N'AVONS CESSÉ
D'ÊTRE VIGILANTS
QUANT AUX MIKAGÉ
MAIS TOUT SEMBLE
CALME...
TOYA ET MOI, NOUS
ALLONS BIEN, NOUS
AVONS ENFIN TROUVÉ
UN LOGEMENT OÙ
NOUS VIVONS EN PAIX.

MADAME
SUZUMI,
YUHI ET
CHIDORI...
COMMENT
SE PORTE
LA FAMILLE
AOGIRI ?

PARDONNEZ-
MOI DU PEU DE
NOUVELLES QUE
JE VOUS DONNE
CES TEMPS-CI
...

JE SUIS HEUREUSE DE SAVOIR QUE SON BRAS NE LE CHAGRINE PLUS... JE SUPPOSE QU'IL A DÛ REPRENDRE SES ACTIVITÉS CULINAIRES IMMÉDIATE-MENT APRÈS !

ET VOUS, COMMENT ALLEZ-VOUS ?... YUHI EST RETOURNÉ AU LYCÉE AÎSEÏ, N'EST-CE PAS ?

QUANT À TOYA...

BONJOUR

EN PARLANT CUISI-NE, J'AI TROUVÉ UN PETIT BOULOT DANS UNE SANDWICHERIE ET UNE LIBRAIRIE...

LE PLUS COMIQUE DANS L'HISTOIRE C'EST QUE LE DOCTEUR EST ÉTRANGEMENT PLUS RAVI DE LA HAUSSE SUBITE DU NOMBRE DE PATIENTES QUE DU TRAVAIL FOURNI PAR TOYA...

DROIT D'INSCRIPTION ASSURANCE NÉCESSAIRE

FORCÉ PAR LES RUDES RECOMMANDATIONS DU DOCTEUR KUROZUKA, IL TRAVAILLE AU SECRÉTARIAT DE L'HÔPITAL (RIEN DE FOLICHON) TOUT EN DONNANT UN COUP DE MAIN AUX PÊCHEURS TRANSPORTEURS...

HÉ HÉ ♡

PARDON ?

LA SITUATION EST UN PEU COMPLEXE

TOYA PREND BIEN SOIN DE MOI ET NE ME LÂCHE PLUS...

IL ME DIT QUE JE DOIS ÊTRE CONSTAMMENT À PORTÉE DE VUE (EUH... JE NE M'EN VANTE PAS)

98

LES BLA-BLAS DE YUU WATASE

...qu'un poster d'une actrice avait élevé la protestation d'un bon nombre de personnes : "Cette affiche arbore l'idée du viol !" Ah oui ? Je m'demande où ils ont été chercher ça... je pense qu'ils ont simplement les idées mal placées (rires). Une de mes anciennes responsables disait : "Quoi que les gens disent, ils ont un grand intérêt pour la psychologie d'en dessous de la ceinture !". Je ne vous cacherai pas ma stupéfaction en entendant cela (rires). Il est clair que ce genre de propos existe parce que ça nous turlupine... tout comme ceux qui m'envoient des "lettres médisantes" et ceux qui ne m'écrivent pas parce que rien ne leur plaît, ils sont à mettre dans le même sac.

À propos, cela fait une dizaine d'années que je n'ai pratiquement pas reçu de lettres médisantes ou me demandant quelque chose ou me parlant de sujets coquins... M'enfin, je sais pertinemment que beaucoup se penchent sur le dernier point et cela ne me dérange absolument pas d'y répondre. J'ai une grande conscience professionnelle.

J'ai été ravie de constater que les enfants ont trouvé très belles les scènes d'amour entre Aya et Toya. "Il n'y a rien d'obscène, au contraire, on ressent de l'amour dans leur relation", ce genre de phrase revenait souvent dans mon courrier... Ça dépend aussi de l'état d'esprit de chacun. Si on a les idées mal placées, on ne pensera qu'à ça. Vous êtes d'accord avec moi, non ?

Quant à moi, j'ai dessiné ces scènes sans la moindre indécence (rires) (ceci ne concerne pas le volume 10 !!). Considérez ces scènes d'amour comme un bon plat qui vous serait présenté lors d'un repas et donc que l'histoire n'est pas bâtie uniquement autour de l'acte charnel (je ne parle pas des œuvres spécialisées dans ce domaine)... sachez que jusqu'à présent je n'ai jamais écrit des histoires avec des scènes d'amour, ah ah ah... cela vous a marqué n'est-ce pas... ?

Mais je suis un être vivant et il est tout à fait naturel que le sujet m'intéresse. Sinon, la race humaine ne perdurerait pas. En ce moment, je ne vois que par la biologie !!

CERTES, JE NE DOIS PAS ME LAISSER ALLER MAIS... LES GENS QUI M'ENTOURENT VIVENT TOUS DANS LA SÉRÉNITÉ

FRANCHEMENT, JE TIRE MON CHAPEAU À TOUTES LES MAÎTRESSES DE MAISON (SI JE PUIS DIRE), UNE FOIS RENTRÉES DU BOULOT, ELLES ONT LES TÂCHES MÉNAGÈRES QUI LES ATTENDENT...

DEPUIS L'ÉPOQUE OÙ IL AVAIT ÉTÉ "CONFECTIONNÉ À LA MIKAGÉ" IL N'ÉTAIT JAMAIS ENTRÉ DANS UN RESTAURANT DE SOUPE DE NOUILLES (RIRES) ET

ENFIN, IL M'ARRIVE ENCORE DE FAIRE DES BOULETTES MAIS TOYA NE CRITIQUE JAMAIS LES PETITS PLATS QUE JE LUI PRÉPARE (MÊME S'IL N'A PAS UN GROS APPÉTIT...)

J'AI DÉCOUVERT AUSSI QUE TOYA EST SUPER NUL AU JEU DE PAPIER-PIERRE-CISEAUX !! MALGRÉ L'AIR GRAVE QU'IL ARBORE, IL EST LE PLUS BIDONNANT DES GARÇONS (ÇA VOUS ÉTONNE?)

POURQUOI JE PERDS TOU-JOURS... ?

BEN, QU'Y A-T-IL DE SI RISIBLE ?

IL M'A RACONTÉ AVEC UN AIR TRÈS SÉRIEUX QUE QUAND IL AVAIT ESSAYÉ RÉCEMMENT, IL AVAIT ÉTÉ OBLIGÉ DE FUIR LES LIEUX À CAUSE DES REGARDS ENTREPRENANTS DE TOUTES LES CLIENTES POSÉS SUR LUI ET QU'IL NE PARVENAIT PAS À COMPRENDRE POURQUOI CEUX DES VIEILLES LUI FAISAIENT SI PEUR, J'AI ÉCLATÉ DE RIRE !!

TOUS LES DEUX... NOUS VIVONS DES JOURS HEUREUX...

COMME SI RIEN NE S'ÉTAIT PASSÉ... NOTRE PETITE VIE N'A RIEN D'EXTRAORDI- NAIRE MAIS...

SEULEMENT... NOUS ALLONS À NOUVEAU DEVOIR AFFRONTER LES RECHERCHES DE LA ROBE DE PLUMES ET DE LA MÉMOIRE DE TOYA, LA MAIRIE A ÉTÉ INCAPABLE DE NOUS RENSEIGNER À SON SUJET...

ET PUIS... JE NE PENSE PAS QUE KAGAMI... ET LE FONDATEUR NOUS LAISSENT TRAN- QUILLES ENCORE LONGTEMPS...

102

EST-CE LÀ LE SENS DE LA COOPÉRATION POUR LE "PROJET C" DONT NOUS A PARLÉ UN CERTAIN HOWELL QUI A CONTRIBUÉ À NOTRE FUITE ?

C'EST DANS DES MOMENTS DE TRANQUILLITÉ QUE JE NE CESSE DE COGITER

DANS LE PIRE DES CAS, JE N'AURAI PLUS QU'À ME TRANSFORMER EN CÉRÈS POUR LES AFFRONTER... (POUR L'INSTANT, NOUS NOUS CONTENTONS DE BAVARDER TOUTES LES DEUX)

......

FINALEMENT, JE NE VOIS PAS PLUS LOIN QUE LA HAINE QUE J'ÉPROUVE POUR KAGAMI ET... J'AVOUE QUE JE N'AVAIS JAMAIS ENTENDU PARLER DU "PROJET C" AUPARAVANT

IL PARAÎT QU'À PRÉSENT LA ROBE DE PLUMES LE PRÉOCCUPE PLUS QUE LE GÉNOME C

COMMENT CES FILLES PORTEUSES DU GÉNOME C QUE J'AI RENCONTRÉES AU LABO POUVAIENT-ELLES AVOIR L'AIR HEUREUSES ? C'EST LA QUESTION QUE JE ME POSE SOUVENT ...

BONSOIR, ÇA VOUS DIRAIT DE DÎNER AVEC NOUS ?

JE VOUS ENVERRAI ENCORE DE MES NOUVELLES, PRENEZ BIEN SOIN DE VOUS, À BIENTÔT !

AYA MIKAGÉ

DING

DONG

MÊME SI JE RETROUVAIS CETTE ROBE, JE NE PENSE PAS QUE CETTE AFFAIRE SE TERMINERAIT AVEC LA VENGEANCE DE CÉRÈS... CE SERAIT TROP SIMPLE...

J'IGNORE TOTALEMENT CE QU'IL Y A ENTRE ELLE ET LE FONDATEUR... JE DOIS CREUSER UN PEU PLUS DANS LE SUJET CAR... IL ME SEMBLE QUE CETTE AFFAIRE EST BIEN PLUS COMPLIQUÉE QU'ELLE EN A L'AIR...

OOH, VOLONTIERS, MERCI !

TOYA, T'ENTENDS ? **TA FEMME** ME PROPOSE DE VENIR DÎNER CHEZ VOUS !!

DOCTEUR... VEUILLEZ GARDER VOS PLAISANTERIES POUR VOUS !

BAM

104

...
EST-CE QUE
VOUS VOUS
ÊTES HABI-
TUÉS À LA
RÉGION ?

L'EXCITATION A TEN-
DANCE À PROVOQUER
CHEZ AYA UNE SAUVA-
GE BRUTALITÉ, JE VOUS
CONSEILLERAI DONC DE
NE PAS... BEN, OÙ
ÊTES-VOUS DOCTEUR ?

C'EST
GÊNANT
!!!

MOI ? SA
FEMME ?

HYAAAAAH AH AH
AH AH AH !!!

REDITES-LE-MOI,
JE VOUS EN PRIE
!!

PLAF

PLAF

TOUT À FAIT, IL
ÉTAIT TRÈS
BIEN ÉQUIPÉ
ET IL ÉTAIT
SPÉCIALISÉ
DANS LE
DOMAINE DE
LA PSYCHIA-
TRIE...

VOUS TRA-
VAILLIEZ
DANS UN
GRAND
HÔPITAL,
N'EST-CE
PAS ?

CERTES, LA NEIGE
EST UNE VRAIE
CALAMITÉ MAIS,
VOUS SAVEZ, J'AI
VÉCU PLUS LONG-
TEMPS À TOKYO
QU'À NIIGATA OÙ JE
SUIS NÉ...

LA PSYCH
...

御景科学技術研究所
MIKAGE SCIENCE AND TECHNOLOGY LABORATORY

KANA-GAWA

... DES RÉAC-TIONS SUR LES VESTIGES ?

HUM... "NYMPHE", "ROBE DE PLUMES" ET "SUB-STANCE INCONNUE" SONT DES ÉLÉMENTS QUI AGISSENT SELON UNE CERTAINE RÉCIPRO-CITÉ, QU'EN EST-IL AVEC LE "BRAS DE TANGO" ?

ABSOLUMENT... NOUS AVONS CONSTATÉ UNE FAIBLE TRANSFORMATION SUR L'UN D'ENTRE EUX SOUS L'EFFET DU POUVOIR ÉMIS PAR UNE DESCEN-DANTE D'UNE NYMPHE ...

TOUJOURS RIEN...

113

UNE "ROBE DE PLUMES" ANÉANTIE... C'EST L'AVIS QUE NOUS AVONS PARTAGÉ MAIS... NOUS NOUS DEMANDONS COMMENT LES "COMPÉTENCES SCIENTIFIQUES" DE L'ÊTRE HUMAIN N'ONT PU ABOUTIR À AUCUN RÉSULTAT...

TOUS CES DERNIERS MOIS, NOUS AVONS ACCUMULÉ OBSERVATIONS ET EXPÉRIENCES, TOUTEFOIS, JE NE SAIS PAS S'IL EST COMPLÈTEMENT EN OSMOSE AVEC LE CORPS HUMAIN MAIS SA DISSOLUTION EST IMPOSSIBLE...

CERTES... LA MÉTAMORPHOSE EN MONSTRE EST ÉVIDENTE MAIS CE BRAS APPARTIENT SANS AUCUN DOUTE À UN HUMAIN... CEPENDANT NOUS NE POUVONS DISCERNER LA PARTIE HUMAINE ET CELLE DE LA "ROBE DE PLUMES"...

LA SEULE ROBE DE PLUMES QUI AIT RÉAGI EST CELLE DE POMÉRANIE*... ELLE A ÉTÉ DÉCOUVERTE DANS UNE GROTTE DE LA MONTAGNE HEIDELBERG ET À PREMIÈRE VUE RESSEMBLAIT À UNE VULGAIRE BOULE DE TERRE...

SUR UN POUVOIR DE MÊME NATURE QUE LES NYMPHES DE POMÉRANIE...

SUR QUOI VOUS ÊTES-VOUS BASÉ POUR CHOISIR CE GÉNOME C ?

※ POMÉRANIE : RÉGION SE TROUVANT ENTRE L'ALLEMAGNE ET LA POLOGNE AU NORD-EST DE L'EUROPE, SUR LA BALTIQUE.

EH BIEN, COMMEN-ÇONS LES EXPÉ-RIENCES !

JE VOIS... C'ÉTAIT QUELQUE CHOSE QUI... TRANSFORMAIT "L'EAU" EN ÉNERGIE, N'EST-CE PAS... ?! L'ESPOIR S'OFFRE À NOUS... !

CET ÉVÉNE-MENT A DÛ TE BOUSCU-LER UN PEU ...

JE VAIS T'AVOUER QUE LORSQUE J'AI ÉTÉ PAPA POUR LA PRE-MIÈRE FOIS, J'AIS FAILLI M'ÉVANOUIR !!

HA HA

...ALORS ? TU TE SENS MIEUX, TOYA... ?

...J'AI DÉJÀ VU DE NOM-BREUSES PERSONNES MOURIR SOUS MES YEUX MAIS C'EST LA PREMIÈRE FOIS QUE J'ASSISTAIS À UNE NAISSANCE...

... OUI, JE SUIS VRAIMENT NAVRÉ... J'ÉTAIS SUR LE POINT DE ME SOUVENIR DE QUELQUE CHOSE MAIS ...

...VOUS N'AVEZ PAS ESSAYÉ DE LA RETENIR ?

J'AVOUE QUE J'AI ÉTÉ COMPLÈTEMENT ABASOURDI ! JE VOULAIS RÉUSSIR DANS MON MÉTIER POUR MA FAMILLE... SEULEMENT, JE RAISONNAIS COMME UN LÂCHE...

LORSQUE NOUS NOUS SOMMES SÉPARÉS, ELLE M'A DIT CES MOTS : "UNE FEMME NE SUPPORTE PAS L'INDIFFÉRENCE"...

ILS ONT... TROUVÉ LE BONHEUR AILLEURS... ET JE ME SUIS DIT QUE FINALEMENT CE N'ÉTAIT PAS PLUS MAL AINSI...

PFF...

...
ÊTRE UN HOMME OU UNE FEMME... UN ENFANT OU UN ADULTE... CELA N'IMPORTE GUÈRE, L'ESSENTIEL EST DE CONSIDÉRER CETTE PERSONNE AVEC AMOUR EN TANT QU'"ÊTRE HUMAIN"
...

JE PENSE QUE NOUS DEVONS RESPECTER CETTE THÉORIE À MOINS DE NE JAMAIS VOULOIR NOUS COMPRENDRE MUTUELLEMENT... NI NOUS FAIRE AIMER...

FAITES-VOUS CONFIANCE L'UN ET L'AUTRE ET SOYEZ DES BATTANTS... J'AVOUE QUE JE DIS DES CHOSES QUI NE ME RESSEMBLENT PAS LÀ !

AH AH...

RRRRRR RRRRR R

EN TANT QU'ÊTRE HUMAIN...

DÉSOLÉ LES JEUNES, JE VAIS DEVOIR VOUS CONFIER LA MAISON !

JE DOIS ME RENDRE À SADO !

...TRÈS BIEN, J'ARRIVE TOUT DE SUITE !

RRRR...!

...OUI, OOOH, MONSIEUR TOKU !

... OUI... QUOI ?!!

ON N'PARLE PAS DU MÊME SADO !!

T'AS ENTENDU TOYA ?

HEIN ?! IL FRÉQUENTE UN CLUB SM !...

118

122

ZAAM
ZAAM

SHPLOC
SHPLOC

L'ÎLE
DE
SADO

LES BLA-BLAS DE YUU WATASE

"Vous avez l'air de détester les minettes, snif" m'a-t-on écrit (a-t-elle lu ce volume ?). Autrefois, lorsque j'ai écrit dans cet espace bavardages que certains d'entre vous n'appréciaient pas la jeune fille immature qu'était Aya voici ce que l'on m'a répondu : "Je suis une minette telle que vous l'avez décrite à travers l'image d'Aya et nous avons de nombreux points en commun alors cela m'a chagrinée me demandant si cette histoire m'était interdite." "Détrompez-vous !!". Mmmm… les gens froncent les sourcils en parlant du comportement et du raisonnement de ces soi-disant minettes et il se pourrait qu'elles lui ressemblent physiquement. L'aspect physique est insignifiant, allez-vous me dire, mais malheureusement il n'y a que ça qui compte et selon notre look, paf, notre personnalité est jugée. On est perdantes. Mais cela ne fonctionne pas ainsi. Ne jugez pas les gens à la légère, ce n'est vraiment pas bien. Je me suis un peu écartée du sujet, bref, je ne tiens pas à départager les propos de mes lecteurs ! Même si cela me ravit (rires). Lorsque j'étais encore lycéenne j'étais du genre très sauvage, je ne parlais à personne (je n'ai d'ailleurs guère changé). …Tenez, en parlant d'aspect physique, je suis sidérée de voir que les Japonais ont horreur de paraître différents des autres… En mars 99 je me suis rendue aux États-Unis en Caroline du Nord pour assister au salon du dessin animé, eh bien, je peux vous dire que les Américains ont tous un caractère et des opinions qui leurs sont propres… Quelle personnalité… Aucun d'eux ne se ressemble.
Une personne m'a fait part de sa réaction concernant une réplique de Aya à la page 173 du vol. 2 et j'avoue qu'il m'est arrivé, ainsi qu'à mon assistante, de penser comme elle lorsque nous étions au lycée. Quand on dit que les goûts et les couleurs ne se discutent pas, cela suppose que "chacun pense différemment" et on ne devrait donc pas apprécier les mêmes choses… Dans mon cas cela concerne les cartables ou la façon de porter l'uniforme. Les cartables sont bien mieux aplatis… c'est ce que je pensais mais…

À SUIVRE

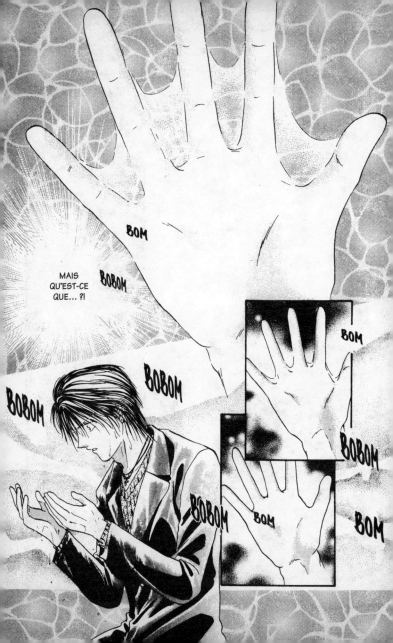

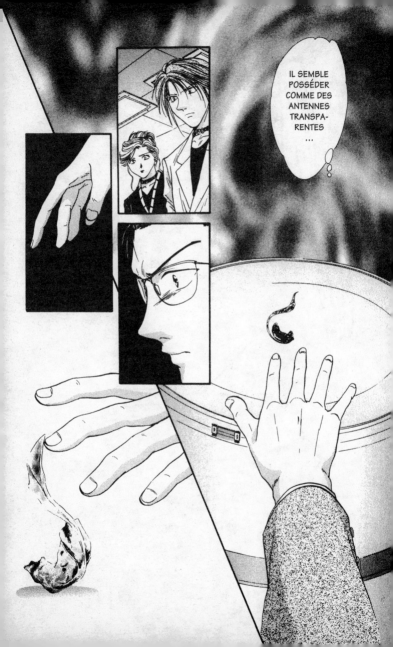

... JE NE PARVIENS TOUJOURS PAS À COMPRENDRE CE QUI S'EST PASSÉ... C'EST UN VRAI MIRACLE QUE VOUS SOYEZ ENCORE EN VIE MAIS...

COMMENT AVEZ-VOUS FAIT POUR ARRIVER AVANT MOI SUR L'ÎLE ?

JE REEEEVE !!?

OH, DOCTEUR !!

...JE NE ME SOU-VIENS DE RIEN... LORSQUE J'AI REPRIS CONNAIS-SANCE, JE ME TROUVAIS DANS LES BRAS DE TOYA...

ET ENSUITE... JE L'AI TROU-VÉ PERDU DANS SES PENSÉES...

...LA MÉMOIRE LUI SERAIT-ELLE REVE-NUE ?...

MONSIEUR OSHIMA, LE PÊCHEUR, M'A DIT QU'IL ARRIVAIT SOU-VENT À TOYA DE REGARDER LA MER D'UN SALE ŒIL...

140

143

144

145

146

SI ÇA SE TROUVE...

... LA ROBE DE PLUMES A COMPLÈTEMENT DISPARU DU JAPON...

TANT PIS, IL VA FALLOIR FOUILLER LA RÉGION DE NIIGATA DE FOND EN COMBLE !

IL N'EN RESTE PLUS AUCUNE TRACE ICI NON PLUS...

OUI

...QUEL DOMMAGE ! NOUS EN SOMMES AU MÊME POINT AVEC LA ROBE DE PLUMES

ALORS TOYA, TOI NON PLUS, TU NE DOIS PAS BAISSER LES BRAS !

JE ME FERAI UN PLAISIR D'ALLER TROUVER LA BANDE DE KAGAMI POUR LES NARGUER !

MAIS JAMAIS JE NE RENONCERAI À MES RECHERCHES ! ET LORSQUE JE L'AURAI RÉCUPÉRÉE

...AYA

152

ANNIVERSAIRE : 24 décembre
(capricorne)

GROUPE SANGUIN : b, origine écossaise

TAILLE : 1,79m

PASSE-TEMPS FAVORIS : dessins animés, personnages de jeux, invention de robot, peinture à l'huile

PARTICULARITÉ : Q.I. DE 260

ALEXANDER·O·HOWELL (ALEC)

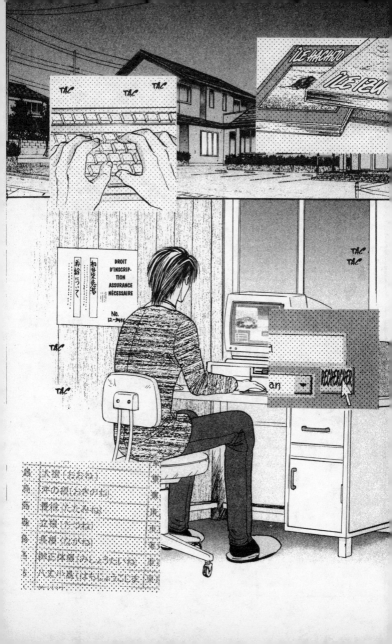

J'EN SUIS QUA-SIMENT SÛR... !

MAIS OUI... C'EST CETTE MER-LÀ...

CLIC

CLIC

MIKURA...

HACHI-JO...

ÎLE HACHIJO

DROIT D'INSCRIP-TION ASSURANCE NÉCESSAI-RE Nº. 12-2496

UN VIEILLARD... JE ME TROU-VAIS EN COMPAGNIE D'UNE PER-SONNE ÂGÉE...

ÎLE PROCHE DE L'ARCHIPEL D'IZU... UNE ÎLE INHABI-TÉE... ELLE CHAR-ME LES PLON-GEURS AINSI QUE LES PÊCHEURS MAIS NE CONNAÎT AUCUNE ACTIVITÉ TOURISTIQUE

NON... SIMPLE-
MENT, IL ME
SEMBLE QUE JE
DEVAIS ÊTRE EN
PRIMAIRE MAIS
J'AI TELLEMENT
VOYAGÉ QUE JE
MÉLANGE UN
PEU TOUT...

AYA... TU NE
T'EN SOUVIENS
TOUJOURS PAS ?

"TU NE
DEVRAIS
PAS QUIT-
TER CETTE
ÎLE"

C'ÉTAIT
DONC BIEN
LÀ... ?

TOYA

...CE
N'ÉTAIT PAS
UN PATOIS
PARTICU-
LIER...

...
TU PENSES
VRAIMENT QUE
JE POURRAIS
ÊTRE CETTE
ENFANT ?

...
CE SERAIT
TELLEMENT
BIEN...

...
"MIKAGÉ" N'EST
PAS UN NOM QUI
COURT LES RUES
...

EH OUI

CELA VOUDRAIT DIRE QUE... NOUS NOUS SERIONS CONNUS IL Y A UNE DIZAINE D'AN-NÉES...

MÊME SI NOTRE REN-CONTRE FUT BRÈVE -

C'EST COMME SI... NOTRE "DESTIN" ÉTAIT DÉJÀ TRACÉ...

JE N'Y AI JAMAIS CRU ET JE NE VOULAIS PAS L'ACCEPTER ...

CEPENDANT ...

À 16 ANS, LORSQUE J'AI APPRIS QUE J'ÉTAIS CÉRÈS, LA NYMPHE CÉLESTE... MA FAMILLE ET MON FRÈRE SONT DEVENUS MES PIRES ENNEMIS...

JE REFUSAIS D'ADMETTRE QUE LA MORT DE MON PÈRE ET DE BIEN D'AUTRES PERSONNES FAISAIS PARTIE DE MA "VIE" ...

163

LES BLA-BLAS DE YUU WATASE

avec du recul je trouve ça "totalement débile"(rires). Eh oui, on voulait toutes avoir nos cartables aussi plats qu'une crêpe. "Jamais je n'oserais me promener avec un gros cartable" m'a-t-on déjà dit (rires)... je ne vois pas ce qu'il y a de honteux. Bref, à partir du moment où vous êtes "contents", tout va bien. À propos, je vous ai présenté un ouvrage dans le volume précédent... je vais essayer d'être brève... que l'on pourrait considérer comme "le guide de la vie", si je puis dire (rires), et dans ce livre l'auteur traite de "la personnalité". "La personnalité de chacun joue sur sa manière de vivre et sur le chemin qu'il est voué à suivre". Elle n'est pas seulement différente des autres, vous brillerez différemment selon l'importance que vous aurez donné dans tout ce que vous entreprendrez et l'effort que vous aurez fourni embellira votre personnalité ! En revanche, ceux qui ne voient que par "le look", "le succès" ou "la mode" ne peuvent posséder une réelle personnalité. Nous devons tous nous battre pour cette "personnalité" qui dort en nous... et puis, paraît-il que "celui qui vous réprimandera ou vous conseillera ne fait qu'user de sa forte personnalité et si vous refusez de l'écouter il vous considérera tout simplement comme un être capricieux". "N'étouffez pas la force que vous possédez en vous et si vous êtes déterminé à fournir des efforts, vous parviendrez toujours à réaliser vos vœux", je suis entièrement d'accord ! "Il ne faut surtout pas perdre confiance en soi", aussi, écoutez attentivement les avis qui vous entourent et construisez votre originalité... Rien ne sert de briller inutilement ! Restez vous-même et vous verrez que vous vivrez des jours fructueux. La paresse ne mène à rien et vous serez toujours perdant. Je confirme ce que je dis. Zut, la fin approche... le volume 2 de "Apparé Jipangu" sortira en juillet... ainsi que le roman de "Fushigi" !
L'histoire du volume 11 était plutôt calme, ce qui est plutôt rare. J'adore ça (rires) mais mes assistantes sont persuadées que le vent va tourner !!! ...Oh non, comment l'ont-elles deviné ? (rires).
Rendez-vous dans le prochain volume.
Le 24/05 1999.

ENFIN… LE CHEF N'AT-
TENDAIT QU'UNE CHOSE,
SAUTER SUR L'OCCASION
POUR LUI FAIRE LA
COUR… MAIS MAINTE-
NANT C'EST BIEN TROP
TARD…

…JE RESTE SCEP-
TIQUE ! LE POUVOIR
DE "AYA MIKAGÉ" ET
COMPAGNIE EST
BIEN PLUS PUISSANT
QUE TOUTES LES
"DESCENDANTES DE
NYMPHE" RÉUNIES…

DONC, GRÂCE À CE "BOU-
CLIER", LOGIQUEMENT,
NOUS SOMMES PROTÉGÉS
CONTRE LE POUVOIR DES
NYMPHES…

"AYA MIKAGÉ" A TOUT DE
MÊME DÉTRUIT TOUT LE
SYSTÈME SANS AVOIR
FAIT APPEL À SON POU-
VOIR… RIEN QUE PAR LA
FORCE DE L'ESPRIT !!

…TU FAIS ALLU-
SION À LA "ROBE
DE PLUMES" !?

YEAR!

LES EXPÉRIENCES
ONT COMMENCÉ…
ÇA TE DIRAIT D'AL-
LER JETER UN ŒIL ?

EN ESPÉRANT QUE
CELA ABOUTISSE À
UN RÉSULTAT…
DEPUIS LA POMÉRA-
NIE, LES ANALYSES
CONCERNANT LA
ROBE DE PLUMES
SONT MINABLES, LES
OBSTACLES SONT
RUDES !

LE "VESTIGE" N'A PAS RÉAGI COMME NOUS L'ESPÉRIONS... SEULE, ELLE N'A PAS ASSEZ D'INFLUENCE... SON POUVOIR N'EST PAS ASSEZ PUISSANT

JE PEUX ENCORE TENIR LE COUP !... ALORS... S'IL VOUS PLAÎT, NE ME METTEZ PAS DEHORS...

...LES ÉTRANGERS N'ONT PAS EU ASSEZ DE CRAN POUR RÉPANDRE NOTRE MÉDICAMENT RÉVÉLATEUR DANS LEURS PAYS RESPECTIFS ET PUIS CELA PRENDRAIT TROP DE TEMPS...

IL SERAIT PEUT-ÊTRE PRÉFÉRABLE D'ATTENDRE LES GÉNOMES C DE L'ÉQUIPE DES PAYS ÉTRANGERS, QU'EN DITES-VOUS ?

...

C'EST RATÉ !

... JE NE T'AI RIEN DEMANDÉ DE TOUT ÇA !!

NON C'EST PAS MOI J'VOUS JURE !!! JE N'AI PAS RÉCUPÉRÉ MA DREAMCAST EN DOUCE !!! NI MES VIDÉOS DE "TOKIMEKI MEMORIAL"... ET JE N'AI PAS TOUCHÉ AUX PAGES DE MON SITE WEB NON PLUS !!

ALEX

....

GLOUPS

OUI M'SIEUR !!

169

172

173

MOI AUSSI, JE VAIS TENTER DE ME SOUVENIR...

D'APRÈS LUI, CE SERAIT MOI CETTE PETITE FILLE...

... J'AURAIS RENCONTRÉ TOYA IL Y A DIX ANS ET JE LUI AURAIS DONNÉ UN PETIT COQUILLAGE ...?

185

187

188

GALERIE D'IMAGES

"AYASHI NO SERESU !" vol -11
un conte de fées céleste
© 1996 by WATASE Yuu

All rights reserved
Original japanese edition published in 1996 by SHOGAKUKAN Inc., Tokyo
French translation rights arranged with SHOGAKUKAN Inc.
for Belgium, Canada, France, Luxembourg and Switzerland

Édition française :
© 2002 TONKAM
BP 356 - 75526 Paris Cedex 11.
Traduction : Nathalie Martinez
Adaptation,Lettrage et Maquette : Édition TONKAM

Achevé d'imprimer en février 2002
sur les presses de l'imprimerie Darantiere à Quétigny (Côte d'Or)
Dépôt légal : mars 2002